小牛顿问号探寻
XIAONIUDUN WENHAO TANXUN

地球怎么了

揭秘火山和地震的形成原因

孙静　主编

长江出版社

图书在版编目（CIP）数据

地球怎么了/孙静主编.—武汉：长江出版社,2015.10
（小牛顿问号探寻）
ISBN 978-7-5492-3847-7

Ⅰ.①地… Ⅱ.①孙… Ⅲ.①地球—儿童读物
Ⅳ.①P183-49

中国版本图书馆 CIP 数据核字（2015）第 252006 号

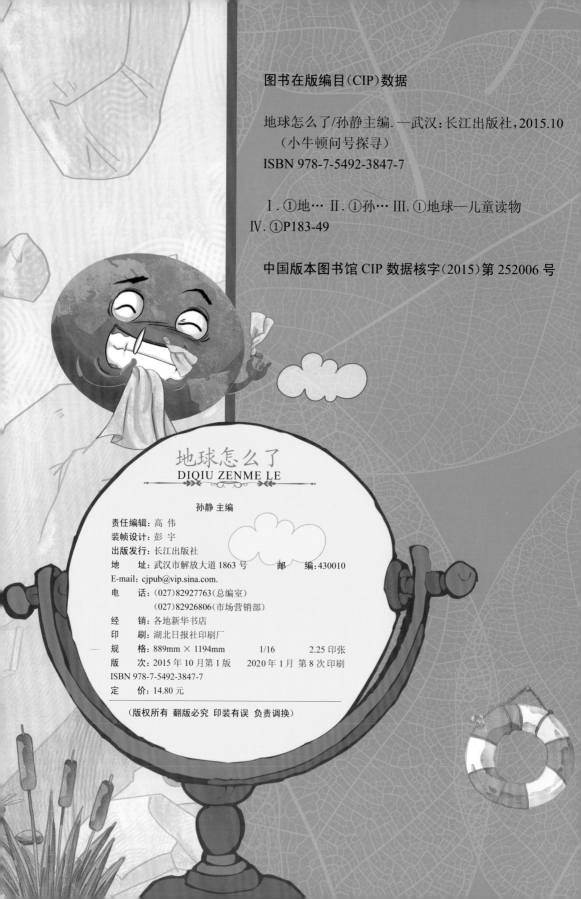

地球怎么了
DIQIU ZENME LE

孙静 主编

责任编辑：高 伟
装帧设计：彭 宇
出版发行：长江出版社
地　　址：武汉市解放大道 1863 号　　邮　编：430010
E-mail：cjpub@vip.sina.com.
电　　话：(027)82927763(总编室)
　　　　　(027)82926806(市场营销部)
经　　销：各地新华书店
印　　刷：湖北日报社印刷厂
规　　格：889mm × 1194mm　　1/16　　2.25 印张
版　　次：2015 年 10 月第 1 版　　2020 年 1 月 第 8 次印刷
ISBN 978-7-5492-3847-7
定　　价：14.80 元

编者的话

　　为什么会有春夏秋冬之分？为什么会有白天和黑夜？便便是怎么来的？我们应该怎样保护牙齿？磁铁为什么能吸引铁？……大千世界无时无刻不在吸引着孩子们好奇的目光。孩子们的小脑袋里总会接连不断地蹦出各种各样的问题。他们碰到问题时，总会问"为什么"，这是他们开始认识世界、了解世界的表现。

　　这套科普绘本，是以孩子最喜爱的图画书的形式来讲述科学知识的。每一段简单的文字都配上了可爱的图画，孩子们在读故事、了解科普知识的同时，也能欣赏到美妙的图画，不知不觉地养成了阅读的兴趣和习惯。

　　这套科普绘本，内容涵盖了动物、植物、人体、自然、工具等各个领域，丰富多彩，能让孩子更全面地了解世界。每本书的最后，还有一个附加的部分，不仅对前面故事里所涉及的科学知识进行了总结，还有一些简单、易操作的小实验，来培养孩子的观察和动手能力。

　　一起来阅读这套有趣又好玩的科普绘本吧，一起来探索科学的奥秘吧！

地球在自己的轨道上绕着太阳跑，碰到了邻居火星，它跟火星打招呼："嗨，火星！很久没有碰到你了，最近过得怎么样？"

知识加油站

火星是太阳系由内往外数第四颗行星，属于类地行星，直径约为地球直径的一半。

火星

火星答道："我还是老样子，还不错！你看起来好像不太开心啊。"

地球长长地叹了一口气，又摇摇头。

"我最近不知道是怎么了，老觉得身体在发烧，还总是打喷嚏。"地球有些苦恼，这不，它又打了一个喷嚏。

它这一个喷嚏不打紧，居然还喷出了一些红色的液体，看起来就像烧红的铁水，还有一团团黑雾。

"唉，不好意思，我也不想这样，让你见笑了。"打完喷嚏的地球有点不好意思了。

火星答道："没关系，人人都会打喷嚏的。那你现在感觉舒服一点了吗？"

"嗯，好多了。"地球点点头，"可我还是想弄清为什么我老是打喷嚏？"

"这个问题我回答不了，不过你的孩子——人类很聪明，或许他们知道答案。"火星建议道。

"啊哈，我怎么没想到呢，谢谢你的提醒，火星。"地球脸上露出了笑容。

地球跟火星道别后，它们又沿着各自的轨道运行了。

地球默默地绕着太阳运行，
它想听听人类在说什么。

果然，刚才地球打的喷嚏引起了人类的注意，他们聚在一起议论纷纷。

"刚才火山喷发了，还好没有造成人员伤亡和财产损失。"

原来自己打喷嚏，引起了火山喷发呀。

知识加油站

火山分为"活火山"、"死火山"和"休眠火山"。

"火山喷发是怎么形成的呢？"小朋友们并不知道这些，他们充满了好奇。

"我们生活的地球最外层是地壳，它与地幔紧紧相连，分为几大板块。炽热的地幔不断移动，地壳也随之不断运动，不同板块之间不断互相推挤和碰撞。"

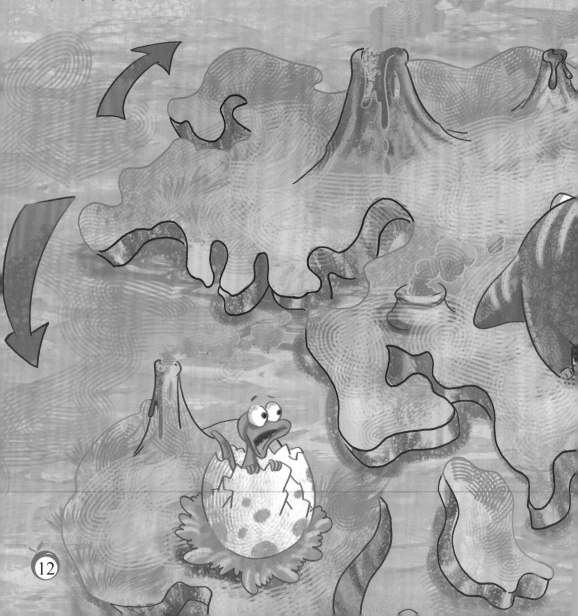

"板块发生碰撞，就会出现一块板块将另一块板块下压的情况。被挤压向下的板块与地幔接触，板块的一部分就会熔化。熔化后的物质就是岩浆。存储在地下空间里的岩浆，会冲破地壳薄弱的部分，喷出地面，这就是火山喷发。"

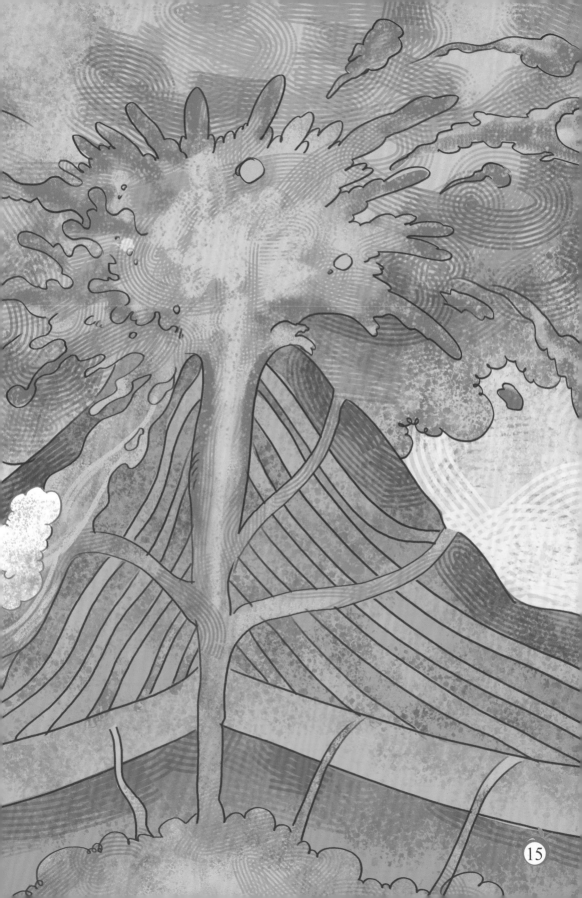

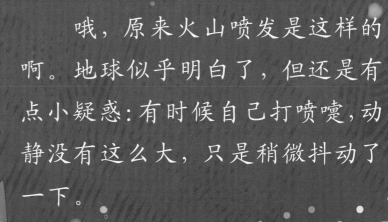

哦，原来火山喷发是这样的啊。地球似乎明白了，但还是有点小疑惑：有时候自己打喷嚏，动静没有这么大，只是稍微抖动了一下。

"板块与板块碰撞，形成强大的力量，就产生了地震。在板块与板块交界的地方，经常发生地震。"

知识加油站

地震又称地动、地振动，是地壳快速释放能量过程中造成振动，期间会产生地震波的一种自然现象。

"如果发生了地震，陆地就会晃动，甚至裂开，建筑物就会倒塌。尤其是地震发生最早的地方，上方的陆地表面晃动最强烈，遭受的损害也最严重。"

"地球上每年约发生500多万次地震，即每天要发生上万次地震。其中绝大多数太小或太远以至于我们都感觉不到。"

"不过也有一些大地震，造成了重大的人员伤亡和财产损失。"

　　听到这里，地球有点担心了，自己给人类肯定带来一些麻烦了。

"火山喷发和地震目前都没办法提前预测，只能采取一些措施减小损害。"

"那都有哪些措施呢？"

"为了减轻地震的损害，首要要修建坚固的建筑物，能够尽量抵御剧烈震动。"

　　"地震发生时，最重要的是及时找到安全的地方躲避，在室内，可以躲在桌子或比较坚固的家具下面。"

"在室外的时候，要前往没有建筑物的空旷地区避险。"

地球听到人们的谈话，心里很欣慰：自己终于知道打喷嚏是怎么回事了，而人类已经学会了在灾难发生时如何保护自己了。

"嗨,地球,你现在弄清楚你打喷嚏的原因了?"火星看见地球,说道。

"嗯,清楚了,是一种正常的现象,不过好像给我的孩子们带来了一些小麻烦。以后,我打喷嚏还是小心一点的好。"

我们生活的地球

地球是太阳系八大行星之一，按离太阳由近及远的次序排为第三颗。地球作为一个行星，远在46亿年以前起源于原始太阳星云。地球会与外层空间的其他天体相互作用，包括太阳和月球。地球是上百万生物的家园，包括人类，地球是目前宇宙中已知存在生命的唯一天体。地球上71%为海洋，29%为陆地，所以太空上看地球呈蓝色。

地震

　　地震是地球内部发生的急剧破裂产生的震波，在一定范围内引起地面震动的现象，在古代又称为地动。它像海啸、龙卷风、冰冻灾害一样，是地球上经常发生的一种自然灾害。大地震动是地震最直观、最普遍的表现。地震是极其频繁的，全球每年发生地震约为550万次。

下面哪一种不是自然灾害？

火山

洪水

干旱

固体废弃物

我们在户外碰到地震了，应该怎么做？

就地选择开阔地避震，蹲下或趴下，避开人多的地方。

避开高大建筑物，如楼房、立交桥、烟囱、高塔。

避开危险物、高耸或悬挂物，如变压器、电线杆、路灯、广告牌等。

发生地震了,下面哪种行为是不可取的?

躲在小空间

躲在桌子底下抓着桌腿

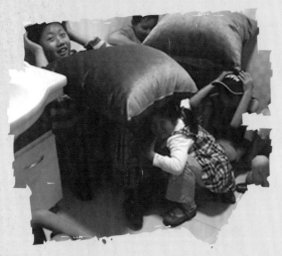

用枕头护着头

站在高楼旁边

火山是什么

火山是一种常见的地质现象。地壳之下 100 至 150 千米处,有一个"液态区",区内存在着高温、高压下含气体挥发成分的熔融状硅酸盐物质,即岩浆。它一旦从地壳薄弱的地段冲出地表,就形成了火山。

火山分为"活火山"、"死火山"和"休眠火山"。火山是炽热地心的窗口,地球上最具爆发性的力量,爆发时能喷出多种物质。

科学加油站

说说火山爆发时，哪种现象不太可能看到？

红色岩浆喷出

大量的烟雾

下雪

爆碎的岩块